CW00663734

Halte aux Jeux !

Albert Jacquard

Halte aux Jeux !

Stock

Le péché originel, l'idée maudite, la pire des chimères, l'idée qui fait rougir le démon lui-même : il faudrait à tout prix un premier et un dernier. Le premier, le grand prix d'excellence étant naturellement Dieu lui-même et le dernier le paysan, le serf, le glaiseux, le bouseux, le Peau-Rouge, le Juif, le nègre, la race infâme à détruire par les bons offices de la race pure.

Jean Cardonnel,
La Parole ma seule arme,
éditions Nouvelles Perspectives,
2003.

Pour repérer les événements qui se succèdent dans l'écoulement monotone du temps, nous disposons de quelques durées élémentaires. Ces durées, qui rythment notre existence, sont définies pour l'essentiel par les astres ; la journée est dictée par la rotation de la Terre, le mois par l'apparence changeante de la Lune, l'année par la position du Soleil sur la sphère céleste. Mais il existe aussi des périodes qui résultent d'un choix arbitraire fait par les humains. Ainsi les olympiades, ces ensembles de quatre années dont le passage, de chacune à la suivante, est marqué par des fêtes grandioses, les Jeux olympiques. Par le rôle qu'ils s'attribuent en mesurant la durée, ces Jeux rivalisent avec les phénomènes cosmiques auxquels ils sont ainsi apparentés, ce qui contribue sans doute à leur donner de l'importance dans l'inconscient collectif.

L'initiative de ces célébrations est due au prince d'un petit État du Péloponnèse, Iphitos, roi d'Élide. Il y a presque trois millénaires, inquiet de l'avenir de son peuple alors que s'installait le désordre et se multipliaient les conflits entre cités grecques, il alla consulter la pythie de Delphes. Celle-ci lui conseilla d'organiser tous les quatre ans des fêtes en l'honneur de Zeus, au cours desquelles des athlètes rivaliseraient de force, de vitesse, d'adresse. Toutes les cités y seraient conviées et, pendant toute la durée de ces jeux, une trêve serait respectée, interrompant provisoirement toutes les batailles. Ces quatre années n'étaient imposées par aucun phénomène naturel. Certes, les puissances de l'au-delà, les dieux étaient impliqués ; la fête s'inscrivait dans les actes religieux, mais le choix du rythme, défini par ce nombre arbitraire, quatre, était le fait des humains. Dans le calendrier des peuples s'insérait ainsi un repère ne dépendant que des hommes.

Cette caractéristique des olympiades ponctuées par des événements délibérément spectaculaires, les cérémonies des Jeux, a contribué à leur pérennité. De 884 avant Jésus-Christ jusqu'à 393 après Jésus-Christ, leur rythme a été remarquablement respecté. Au cours de ces treize siècles, c'est, selon les historiens, 293 fois que ces Jeux ont été préparés, se sont déroulés et ont imposé à toutes les cités le respect de la trêve des conflits exigée par la pythie. L'histoire des empires et des populations, faite de drames et de catastrophes, de conquêtes et d'abandons, de victoires et de défaites, a été doublée d'une histoire parallèle ayant un autre rythme, l'histoire des athlètes, de tous ceux qui participaient à la préparation de la fête, de tous ceux aussi qu'enthousiasmaient les performances ou que passionnait le palmarès des épreuves.

Il est significatif que les arguments qui ont finalement provoqué la suppression des Jeux aient été d'ordre religieux. C'est le dernier des empereurs qui ont régné sur l'ensemble du monde romain, Théodose Ier, dit le Grand, qui s'en chargea, en y mettant un terme en l'an 393. Il estimait en effet ne pouvoir admettre de manifestations d'inspiration païenne à une époque où le christianisme devenait religion d'État. Il ne s'agissait pas seulement de spectacle ou d'athlétisme ; au-delà des Jeux, c'est l'état d'esprit du peuple, la vision du destin de chaque membre de l'humanité qui étaient en cause. La religion chrétienne avait pour objectif de faire apparaître un homme nouveau, il fallait donc éliminer tout ce qui rappelait l'homme du passé, y compris les cérémonies inspirées par la pythie.

C'est avec un objectif bien différent mais de même nature que, après une interruption de quinze siècles, les Jeux furent rétablis par Pierre de Coubertin. Son obsession était de rénover le système éducatif ; il lui semblait urgent de l'adapter aux réalités nouvelles, notamment aux avancées techniques, qui bouleversaient aussi bien les contraintes sociales que la vie quotidienne, et aux moyens de communication qui commençaient, en cette fin du XIXe siècle, à unifier la planète. Il s'agissait, comme mille cinq cents années plus tôt, d'aider à l'émergence d'un homme nouveau. Le processus était cependant inversé : au lieu de supprimer les Jeux au nom de la religion, on les rétablissait au nom d'une finalité humaine.

La réussite a été inespérée. Alors que l'idée de Pierre de Coubertin avait été exprimée dans l'indifférence générale en 1892, les premiers Jeux ont pu être organisés, malgré de multiples réticences, dès 1896. La ville symboliquement choisie pour ce retour à l'ancienne tradition fut Athènes ; la suivante fut Paris qui, en 1900, bénéficia d'une participation plus étendue.

Depuis, cette horloge dont chaque tic-tac dure quatre années a été presque fidèle. Presque, car les Jeux, bien qu'annoncés et préparés, ont dû être annulés en 1916 (ils étaient prévus à Berlin), en 1940 (à Tokyo) et en 1944 (à Londres). Au cours de ces années-là, le désir de respecter le rythme olympique n'a pas pesé bien lourd face à la volonté de se battre des multiples belligérants. Cela ne s'était, semble-t-il, jamais produit à l'époque où les Jeux avaient lieu à Olympie.

Ces Jeux nouveaux ont, au total, été célébrés vingt-quatre fois, et l'on prépare, au début de l'année 2004, la vingt-cinquième édition. Le nombre des nations représentées et celui des athlètes en compétition sont à chaque fois plus élevés. Le succès populaire comme le succès médiatique sont éclatants.

Grâce à la télévision, les épreuves se déroulent sous le regard de plusieurs milliards de nos contemporains. Mais peut-on vraiment manifester un enthousiasme sans restriction devant cette réussite apparente ?

La réponse doit tenir compte d'un fait dont, me semble-t-il, l'opinion générale n'a pas suffisamment conscience : au cours des vingt-quatre olympiades qui viennent de s'écouler, en à peine plus d'un siècle, la condition humaine et la définition même de l'être humain ont été transformées plus radicalement qu'au cours des quelque trois cents olympiades qui avaient été organisées en Grèce. L'humanité d'aujourd'hui est, malgré la proximité dans le temps, plus différente de celle de Pierre de Coubertin que l'humanité de l'empereur Théodose ne l'était de celle du prince Iphitos.

Observée avec quelques millénaires de recul, la période qui s'est écoulée entre ces deux personnages historiques à vrai dire bien oubliés peut, à bon droit, nous apparaître comme marquée par la stabilité. Le dernier grand bouleversement dans la façon de vivre de notre espèce avait été, il y a quelque douze mille ans, l'invention au Moyen-

Orient de l'agriculture et de l'élevage. Cette nouvelle façon de se procurer les moyens nécessaires à la survie s'est alors répandue dans toutes les directions et a atteint en quelques milliers d'années l'Europe et l'Asie. La population de la Terre a alors pu s'accroître et dépasser un effectif de deux cents millions d'humains, niveau qu'elle a conservé, avec quelques variations provisoires, depuis le néolithique jusqu'au milieu de l'ère chrétienne.

Tout au contraire, les olympiades nouvelles ont coïncidé avec une période d'évolution rapide de cet effectif. Lorsque les Jeux ont repris à la fin du XIXe siècle l'humanité comptait moins d'un milliard et demi d'hommes ; aujourd'hui, les six milliards sont largement dépassés. Jamais cet effectif n'avait connu une évolution aussi rapide. Cette multiplication par quatre en moins d'un siècle a brutalement mis les hommes face à des problèmes inédits : comment nourrir et surtout comment faire vivre ensemble une foule aussi nombreuse ?

Simultanément, une véritable révolution s'est produite dans les moyens de communication et de transmission des informations.

Lorsque Pierre de Coubertin a décidé de reprendre la succession des olympiades, ni l'avion ni les ondes hertziennes ne faisaient partie de la panoplie humaine. Leur apparition a tout transformé. Des échanges qui, depuis toujours, nécessitaient des semaines n'exigent plus aujourd'hui que des heures ou des minutes et sont parfois même réalisés dans l'instant. Les événements eux-mêmes sont comme délocalisés depuis que chaque être humain peut y assister sans y être présent. Aucune des structures mises en place par les collectivités humaines n'est restée à l'abri des conséquences de ces révolutions techniques. Que ce soit dans le domaine politique ou sportif, participer à l'aventure humaine a changé de sens en un siècle.

À l'exception notable de la religion, ce qui était vrai au temps du Grec Iphitos l'était toujours au temps du Romain Théodose Ier. En revanche, ce qui était vrai au temps de Pierre de Coubertin risque fort de ne plus l'être aujourd'hui. Il est donc utile de questionner le rôle de ces Jeux, leur déroulement, et surtout leur finalité. Lorsque l'on vit une révolution, il ne sert à rien de s'arc-bouter sur les certitudes antérieures. Il faut regarder les réalités nouvelles avec lucidité, s'y adapter, puis lutter pour les transformer. Ne soyons pas étonnés alors d'aboutir à une remise en cause radicale.

Les Jeux

On ne peut imaginer initiative plus sympathique que de proposer à des adultes des activités qui sont par nature celles des enfants et des adolescents, des jeux. Par définition, un jeu est une activité gratuite dont l'objectif premier est de procurer du plaisir. Ce plaisir immédiatement ressenti résulte des sensations physiques ou psychiques que provoque le fait de jouer. Mais, au-delà de ces sensations, le jeu peut apporter des satisfactions plus profondes, celles qui résultent du sentiment de construire sa personne. Il peut en effet, et c'est son rôle essentiel, être une occasion de rencontre.

Cette rencontre n'a évidemment aucune réalité pour les jeux où l'acteur n'est confronté qu'à lui-même, à sa propre maladresse, à sa propre incapacité, fasciné par les images mouvantes d'une boîtier électronique ou par le tournoiement d'une boule au casino. Mais une telle activité mérite-t-elle vraiment d'être désignée comme un jeu ? Il y a, entre les jeux solitaires et les jeux à plusieurs, la même différence qu'entre la masturbation et le choc amoureux. Les premiers sont des exercices plus que des jeux.

Réservons donc ce mot à des activités qui impliquent plus d'une personne et constatons que leur finalité est, fondamentalement, au-delà du résultat d'une partie plus ou moins bien résumé par un score, de provoquer un partage, un échange. Les règles qui sont au départ imposées sont toujours arbitraires mais, une fois acceptées par les participants, elles ne sont plus remises en question. Elles n'ont pour raison d'être que de créer une activité commune. Grâce à elles, l'échange peut être réellement fructueux car elles introduisent la nécessité du respect, respect de la règle mais aussi respect du ou des partenaires et, nécessairement, respect de soi-même. Le jeu n'est que la face visible d'une activité dont les racines sont profondes en chacun des acteurs ; il est le signe apparent d'un processus qui dépasse chacun : une rencontre.

Si la place du jeu est particulièrement importante dans la vie des jeunes, c'est qu'ils parcourent la phase la plus active de la construction d'eux-mêmes et cette construction nécessite des rencontres permanentes. Elles sont le matériau de la personne qu'ils deviennent.

En attribuant une place importante au jeu dans les activités des adultes, une société se maintient elle-même en état de jeunesse, c'est-à-dire de construction permanente de soi et de la cité. Nous pourrions donc nous réjouir à la perspective d'une invasion de l'actualité, durant l'été prochain, par les Jeux olympiques.

Ces événements sont malheureusement loin d'avoir les vertus que nous venons d'évoquer et l'on pourrait à bon droit leur refuser l'appellation de jeux. Ce sont en réalité des activités d'une tout autre nature, très éloignées du jeu, puisqu'elles sont présentées comme des compétitions sportives. Il faut vraiment beaucoup d'inconscience ou de mauvaise foi pour les désigner par le terme « Jeux ».

Sport

Comme le mot « jeu », le mot « sport » est ici employé à propos d'activités qui n'ont plus guère de lien avec le sens initial.

Ce mot, à vrai dire, est particulièrement ambigu. Il a été récemment – il y a un peu plus d'un siècle – emprunté à la langue anglaise, mais celle-ci l'avait elle-même forgé à partir d'un mot français, le *desport*, c'est-à-dire le divertissement. Il y a dix siècles, *se desporter*, se déporter, était se divertir. Si l'on s'en tenait à cette origine du mot qui le désigne, le sport serait donc bien proche du jeu.

Mais, comme tous les mots, celui-ci a une histoire et, en traversant et retraversant la Manche, il s'est éloigné de sa définition première. Pour les Anglais du XIXe siècle, le divertissement concerné a tout d'abord été la course de chevaux et les paris auxquels elle donnait lieu. Le sport est ainsi associé dès le départ à une compétition et à un gain. Le but premier de l'événement considéré comme un sport n'est plus alors d'éprouver un plaisir gratuit mais de désigner un vainqueur, et même plusieurs vainqueurs : d'une part le cheval arrivé premier, d'autre part tous les parieurs qui ont misé sur lui et qui, grâce au flair qu'ils ont ainsi démontré, peuvent accroître leur fortune. Cette activité apporte donc du plaisir, mais celui-ci n'est pas gratuit et il est ressenti par d'autres que par celui qui a emporté la compétition. Il ne s'agit vraiment plus d'un jeu.

Revenue dans notre langue, l'appellation « sport » a encore accru son ambiguïté ; elle concerne maintenant des activités de natures fort diverses.

Pour ceux qui peuvent se considérer et se désigner eux-mêmes authentiquement comme des sportifs, il s'agit de rechercher du plaisir en développant certaines des capacités de leur organisme. Ce plaisir peut être accompagné de la satisfaction de faire mieux qu'un autre, de l'emporter sur lui dans une compétition, mais ce n'est là qu'un ajout mineur et un peu suspect car il introduit une recherche de domination dans ce qui n'était à l'origine qu'une recherche de plaisir. Pour que ce plaisir soit serein, il faut qu'il soit sans lien avec des activités dont l'objectif est un gain.

La véritable pratique d'un sport consiste en un dialogue de chacun avec son propre corps sous le regard critique et éventuellement louangeur des autres. Ce dialogue peut être rude, les exigences peuvent être sévères, l'important est que le corps soit respecté et non relégué au rang d'un simple outil.

Il est bien sûr un objet ; il est fait d'organes, de cellules, de molécules, il est un ensemble de « poussières d'étoiles ». Mais il n'est pas qu'un objet ; il est aussi le support de cet être indéfinissable qui se désigne lui-même quand je dis « je ». Ne pas le respecter, c'est me détruire. Être sportif, c'est profiter des performances de cet objet pour enrichir ce « je ».

Le mot « sport » est malheureusement utilisé sans précautions, dans une confusion organisée, pour désigner des activités toutes différentes, bien éloignées de ce dialogue entre la personne et son support organique.

Il désigne alors le comportement d'athlètes qui utilisent les performances de leur corps comme source de leur notoriété et de leurs revenus. Par nécessité, il leur faut entrer dans un processus de concurrence, de compétition, où le plaisir n'a guère de place, et n'est pas, en tout cas, l'objectif. Celui-ci est bien défini et tient en un seul mot : la victoire. Il s'agit de l'emporter sur l'autre, individu ou équipe, de gagner, c'est-à-dire de faire des autres des perdants.

Présenter ces professionnels de l'effort ou de l'agilité physiques comme des sportifs est véritablement une tromperie. Ils accomplissent, dans leur domaine, des exploits souvent inouïs ; il est raisonnable de les admirer, mais il est illogique de prétendre les classer, car ces performances ne peuvent être réduites à un nombre sans être dénaturées. Elles sont par nature multidimensionnelles et par conséquent ne peuvent aboutir à un classement. Or la victoire n'a de sens que si ce classement est possible. Il permet la désignation d'un premier et d'un dernier, mais cette désignation ne peut que trahir la réalité multiforme de la confrontation. Celle-ci a été une aventure enchaînant de nombreux épisodes qui ne peuvent, dans leur diversité, être résumés par un classement. Ramener l'événement à un palmarès est aussi réducteur que de décrire une statue de bronze en se contentant d'en indiquer le poids.

Palmarès

Avant d'aller plus avant dans ces réflexions, il est nécessaire d'insister sur un constat imposé par la logique élémentaire et pourtant fréquemment oublié : toute hiérarchie, donc tout palmarès, ne peut reposer que sur un critère unique. Les élèves d'une classe peuvent certes être classés selon leur taille, selon leur poids, selon leur rapidité à trouver la solution d'un problème, mais ces classements ne sont généralement pas identiques. Peut-on les synthétiser en prenant en compte simultanément ces caractéristiques ? Bien sûr, mais il faut nécessairement définir un critère unique combinant l'une et l'autre. Ce peut être la moyenne du poids et de la taille ou le quotient du poids par la taille, peu importe. L'essentiel est de comprendre combien ce critère unique est arbitraire ; la hiérarchie qu'il permet d'établir dépend beaucoup plus de sa définition que des valeurs observées pour chaque caractéristique.

Notre culture nous amène souvent – c'est l'un de ses traits trop fréquemment occultés – à admettre ou à rechercher des hiérarchies. À tout propos nous nous interrogeons pour décider quel est le « meilleur », que ce soit une équipe de foot, une actrice ou un candidat à Polytechnique. Nous sommes satisfaits si les données prises en compte sont rigoureuses, nous admettons que le résultat final est « scientifique » lorsque les calculs complexes qui y aboutissent sont exacts. Mais la véritable interrogation devrait concerner le choix du paramètre unique qui a permis ce classement.

Un exemple bien caractéristique de cette erreur logique a été fourni il y a quelques années par le ministère de l'Éducation nationale lui-même, lorsqu'il a diffusé le palmarès des lycées français classés du meilleur au moins bon. Je ne sais quelles statistiques avaient été utilisées, mais c'est la façon dont elles avaient nécessairement été synthétisées en un seul nombre qui enlevait tout sens à ce classement. Ce critère global supposait en effet que la finalité d'un lycée est unique et que sa réussite est mesurable. Cela serait réaliste si le seul objectif était, par exemple, de préparer au bac ; le critère décisif serait alors le pourcentage de reçus. Mais quel responsable de l'éducation oserait accepter une telle réduction des missions d'un lycée ?

J'ai souvent rappelé à mes élèves, lorsque j'avais le bonheur d'être enseignant, un mot qu'avait forgé un géographe célèbre dans ma jeunesse, André Siegfried. Il conseillait à ses étudiants de se « démercatoriser », c'est-à-dire de débarrasser leur esprit des cartes obtenues par la projection dite de Mercator ; elle déforme en effet abusivement notre représentation des continents en agrandissant les régions situées près des pôles et en réduisant les zones équatoriales. M'autorisant une semblable liberté avec la langue française, je propose de se « désunidimensionnaliser » ; car la réduction d'un objet quelconque, que ce soit un caillou, une intelligence ou une performance sportive, à une seule caractéristique ne peut aboutir qu'à une falsification. C'est au nom de ce combat contre la trahison par les nombres qu'il est, par exemple, nécessaire de prendre mille précautions dans l'utilisation du trop célèbre quotient intellectuel censé mesurer l'intelligence.

Le cas extrême d'une unidimensionnalité absurde est sans doute celui du palmarès des nations établi après les Jeux olympiques en fonction des médailles obtenues.

Observons tout d'abord que, ces médailles étant de trois catégories, or, argent et bronze, ce palmarès est tridimensionnel. Mais, par souci de satisfaire la paresse intellectuelle ambiante, il est ramené à un seul critère en comptant d'abord les médailles d'or, puis à l'intérieur du groupe des ex aequo, ensuite les médailles d'argent, et enfin les médailles de bronze. Mais on aurait pu tout aussi valablement donner des pondérations arbitraires à chaque type de médaille et aboutir à un palmarès différent. Celui-ci n'a donc aucunement une signification rigoureuse.

Pourchasser dans nos discours les recours à l'unidimensionnalité est un excellent jogging intellectuel. Il nous fait découvrir bien des failles dans nos raisonnements, notamment lorsqu'il s'agit de résultats sportifs. Par quelle aberration peut-on ramener les péripéties de l'événement collectif qu'est, par exemple, une partie de rugby à l'énoncé d'un score ? Heureusement, des sportifs sages (cela existe) commencent à refuser cette trahison. Tel est le cas, paraît-il, des joueurs d'une équipe de rugby de Dakar qui a pris pour nom Sanfoulescore. Par cette désignation, avant même de jouer, ils ont banni de leur comportement tout esprit de compétition. Le vrai sport, celui qui allie effort et plaisir, peut alors être pratiqué.

Mais ce qui rend particulièrement absurde le classement des nations ayant participé aux Jeux est le lien qui est ainsi sournoisement établi entre leur importance politique, en tant qu'État membre de la collectivité planétaire, et les médailles obtenues par les athlètes qui ont défilé derrière leur drapeau lors de la cérémonie d'ouverture. Comme si le « rang » d'une nation pouvait être défini par ces médailles et dépendait d'elles. Il est raisonnable de féliciter les concurrents pour les efforts qu'ils ont produits, de les louer pour leur réussites, éventuellement de leur reprocher leurs échecs, mais ce sont là des appréciations concernant des personnes, qui n'impliquent en rien leur nation. Parmi d'autres expressions célèbres, de Gaulle avait évoqué le fait qu'il avait « une certaine idée de la France ». J'imagine que, dans cette idée, les records de vitesse, de sauts en hauteur ou les victoires aux finales des coupes de foot n'avaient qu'une bien faible place.

Ce qui est vrai pour le palmarès des Jeux olympiques l'est tout autant pour les multiples championnats du monde qui se succèdent. N'est-il pas grotesque de prétendre que « la France est championne du monde » alors que le respect de la vérité nécessite de dire simplement qu'une équipe subventionnée par le budget de l'État français a remporté un championnat ? La nuance est de taille.

Dictature de la compétition

Le rôle des écrivains est parfois d'imaginer le cas limite d'un comportement collectif afin de mettre en évidence, grâce à une fiction, les dangers qu'il comporte à long terme. C'est ce qu'ont réussi Aldous Huxley avec *Le Meilleur des mondes* ou George Orwell avec *1984*.

Moins célèbre, mais tout aussi riche de lucidité, est le roman de Georges Perec, *W ou le souvenir d'enfance*[1]. Ce livre étrange, consacré pour moitié à son enfance, pour moitié à la description d'une utopie, montre jusqu'où peut conduire la dictature de la compétition. L'auteur imagine une île in-

1. Georges Perec, *W ou le souvenir d'enfance*, Paris, Gallimard, 1975.

accessible, dont il est le premier visiteur depuis des siècles, l'île W, qui donne son nom au titre du livre. Elle est située, selon l'auteur, quelque part au-delà du cap Horn. Les habitants de cette île ont pour unique activité l'organisation de compétitions sportives. Avec une rigueur implacable, Georges Perec tire les conséquences de cet objectif permanent qui obsède aussi bien les citoyens que les diverses communautés. Chaque ville organise des compétitions ininterrompues entre ses propres athlètes tandis qu'une autorité suprême gère les compétitions entre les villes. Pire que la dictature d'un Big Brother, la dictature de la compétition assure durablement la stabilité de la structure sociale, mais au prix d'une destruction systématique des personnes. Pour les individus comme pour les collectivités, rien n'a d'importance sinon la victoire, à n'importe quel prix.

Ce système produit des gagnants provisoirement satisfaits mais angoissés devant l'évidence de leur fragilité, de la précarité de leur succès. Il produit simultanément, et en beaucoup plus grand nombre, des perdants désespérés face à l'écroulement définitif de leurs rêves.

Cette île s'efforce pourtant de réaliser l'idéal olympique. La devise partout affichée est *Citius Altius Fortius*, les moindres gestes quotidiens sont mis par tous, individus ou collectivités, au service de la victoire espérée lors de la prochaine compétition. Cette lutte permanente fait de toute vie une succession d'angoisses perpétuelles ponctuées de quelques réussites aboutissant à la défaite finale. Les insulaires sont conscients de la déperdition humaine à laquelle ils participent, mais ils l'acceptent car elle assure un ordre rigoureux. C'est toute la problématique de l'ordre et du désordre qui est exprimée et qui trouve une solution dans la compétition généralisée.

La fascination qu'opère ce texte de Georges Perec vient de ce qu'il semble décrire non pas une utopie arbitraire, résultant de l'imagination délirante d'un écrivain, mais une organisation sociale qui découle inévitablement du postulat initial. Elle est l'aboutissement de la logique de la compétition. Celle-ci conduit inexorablement à l'exaltation provisoire des uns et à l'abaissement des autres. La question est alors : combien de perdants pour un gagnant ?

Dans le monde réel qu'est notre société, le spectacle quotidien de ce que les médias osent présenter comme du sport illustre parfaitement ce que George Perec imagine comme une fiction. Dans l'île W, « la vie de l'athlète n'est qu'un effort acharné, incessant, la poursuite exténuante et vaine de cet instant illusoire où le triomphe pourra apporter le repos ». N'est-ce pas la réalité vécue sous nos yeux par nombre d'athlètes ? Ils sont célèbres, adulés, enrichis, puis, passé cette période d'euphorie, pour la plupart condamnés à un désespoir programmé, le désespoir du gladiateur conscient de l'aboutissement inéluctable de ses combats.

Les larmes des quatrièmes

L'un des spectacles les plus désolants et les plus révélateurs de la structure mentale qui sous-tend les Jeux olympiques est celui des athlètes arrivés quatrièmes.

La mine défaite, ils pleurent toutes les larmes de leur corps ; il n'y a que trois places sur le podium, ils n'y ont donc pas droit. Ils se comportent comme s'ils étaient des vaincus alors qu'ils viennent le plus souvent de réaliser une performance magnifique. Ils ont parfois, profitant de la présence de meilleurs qu'eux à leur côté, dépassé leur record personnel. C'est là une véritable victoire ; mais elle ne les console pas de se voir refuser l'accès au regard des caméras, de ne pas faire partie de ceux que l'on voit sur les photos et sur les écrans. Ils sont les meilleurs parmi les privés de gloire et cette place de premier d'une sous-catégorie a un goût détestable. Ils n'ont qu'un sentiment, celui de l'échec. Ils se sentent perdants. Inconsciemment, ils mettent en évidence que leur véritable objectif est la gloire et non l'exploit.

Peu avant les Jeux de l'année 2000, j'ai rencontré par hasard un ami de l'un des champions les plus populaires en France, le judoka David Douillet. J'ai prié cet ami de dire à ce dernier que je souhaitais qu'il n'obtienne pas la médaille d'or. Non par malveillance à son égard, au contraire, par admiration pour sa capacité à être non seulement un champion mais une personne responsable et consciente du rôle qu'elle joue, notamment aux yeux des jeunes. J'imaginais la scène : David Douillet privé de l'or et manifestant, par un sourire sincèrement joyeux, sa satisfaction, son plaisir d'être dépassé. « Sur les six milliards d'hommes de la planète, ils sont un nombre infime, ceux qui sont capables de me vaincre au judo. Aujourd'hui, ils sont à côté de moi, quelle chance ! Ils ont certainement de bons conseils à me donner. D'avance je les remercie. » Quelle leçon cela aurait été pour les jeunes qui, judokas ou non, font de David une idole et surtout un modèle.

Une leçon semblable à celle que j'imaginais a été donnée au cours de récents championnats internationaux d'athlétisme par une jeune femme afghane. Pour des raisons qui la concernent, elle a refusé de revêtir la tenue habituelle des sprinteuses et a conservé veste et pantalon bouffant, ce qui ne facilitait pas sa course. Elle est arrivée dernière, loin derrière les autres, mais son sourire radieux signifiait qu'elle avait pulvérisé ses records personnels. N'était-ce pas le meilleur objectif ?

Tout, à vrai dire, concourt malheureusement à renforcer le sentiment d'échec, la frustration de ceux qui n'obtiennent pas la récompense suprême. En premier lieu les médailles. En or, en argent ou en bronze, elles sont palpables, durables et surtout montrables. Le pauvre quatrième et tous ceux qui suivent sont face au vide ; ils doivent se contenter d'un diplôme en papier qui, je suppose, est joliment imprimé mais qui ne les console guère. Les larmes des quatrièmes montrent que la réalité olympique n'est guère éloignée de la fiction de l'île W imaginée par Georges Perec.

Malgré tous les discours prétendant le contraire, le seul critère de réussite, la seule satisfaction espérée, est la montée sur le podium. À l'image d'un prisme qui ne retient d'une lumière aux multiples composantes qu'une seule longueur d'onde, la compétition opère une polarisation des personnes : elles sont réduites à une seule obsession. L'unidimensionnalité lamine la réalité et détruit toute richesse.

On comprend que le visiteur de l'île W n'ait eu qu'un désir, la fuir le plus rapide ment possible. Faut-il fuir les Jeux ?

Olympisme et humanistique

La réponse à cette question dépend de l'objectif que l'on prétend poursuivre. Celui-ci est bien mal exprimé par la devise officielle des Jeux. Courir plus vite, sauter plus haut, être plus fort, ces expressions définissent une finalité qui n'est acceptable que pour des enfants. On peut attendre des adultes qu'ils mettent leurs performances de tous ordres, qu'elles soient sportives, intellectuelles ou morales, au service d'un objectif plus raisonnable ou plus grandiose. Certes, une devise est par nécessité réductrice, mais celle choisie par les instances de l'olympisme exprime une telle futilité qu'elle ne peut être que le décor apparent d'un projet plus sérieux, plus ambitieux. Quel projet ?

À l'origine, il y a près de trois mille ans, il était question de gloire, gloire de l'athlète ou gloire de la cité qu'il représentait. Mais, au-delà, c'est un recul de la violence et du désordre qui était recherché. Nous pouvons constater que la stratégie de la pythie, apparemment utopique, s'est révélée efficace, du moins dans le monde grec : pendant que les peuples regardaient leurs représentants s'affronter sur un stade, ils étaient moins tentés de se battre. Ils trouvaient provisoirement une issue à leurs conflits par athlètes interposés, ce qui limitait les dégâts.

C'est là une technique qui, selon la légende, a été appliquée par les Romains et les Albains lorsqu'ils ont délégué aux trois frères Horaces et aux trois frères Curiaces le soin de décider du sort d'une guerre qui risquait d'être désastreuse pour tous.

Dans la pratique actuelle des sports d'équipe, comme le football ou le rugby, un schéma semblable se manifeste souvent. La rencontre entre deux équipes prend, dans l'esprit des protagonistes, dans celui des journalistes qui décrivent l'événement et, surtout, dans celui des spectateurs transformés en supporters, la signification d'une rencontre entre deux villes. Les joueurs sont alors utilisés pour dévier des pulsions collectives et participer, à moindres frais, à la poursuite de vieux conflits.

L'événement n'est plus alors qu'un épisode dans une confrontation qui s'éternise. Du coup, il perd l'essentiel de son caractère sportif. Mais il y a plus grave. La rencontre sur un stade peut avoir des effets opposés à ceux espérés : elle attise l'opposition au lieu de la résoudre. Cet effet pervers peut prendre des dimensions tragiques lorsque les équipes sont présentées comme « nationales » et que des élans patriotiques s'en mêlent.

En renouant le fil interrompu des olympiades, Pierre de Coubertin était certainement mû par une passion plus puissante que l'amélioration de quelques records ou même que la création d'un exutoire aux luttes entre les peuples. L'obsession de toute sa vie a été la réforme du système éducatif ; il voulait le mettre au service de l'amélioration de l'être humain. Les sports, les Jeux olympiques n'étaient dans son esprit que des moyens parmi d'autres d'œuvrer à cette tâche. Pour préparer maintenant l'avenir de l'olympisme tout en restant fidèle à cette finalité, il faut donc commencer par un effort de lucidité sur la réalité humaine.

Il est raisonnable, pour améliorer cette lucidité, de s'adresser aux multiples disciplines scientifiques ; chacune peut apporter dans son domaine un lambeau de vérité. Mais prendre position sur des choix impliquant le devenir humain, développer une action aux dimensions de l'espèce, nécessite une synthèse. La proposer est le rôle de ce que l'on peut présenter comme l'« humanistique ».

Ce néologisme a été forgé par l'architecte tessinois Mario Botta, auteur notamment de la cathédrale d'Évry. Chargé, il y a quelques années, de doter le canton du Tessin d'une école d'architecture, il a articulé son programme autour de l'idée suivante : les futurs architectes doivent réfléchir à la réalité humaine avant de chercher à résoudre les problèmes de construction. Il a alors développé dans cette université italophone un enseignement d'*umanistica*, introduisant ainsi dans les programmes universitaires une nouvelle discipline consacrée à la définition de l'humain.

Halte aux Jeux !

Cette réflexion proposée aux étudiants en architecture est tout autant justifiée pour nombre d'activités, notamment les Jeux qui nous occupent ici et plus généralement le sport. Avant d'orienter ces activités, il est nécessaire de proposer une réponse à la question : qu'est-ce donc pour nous qu'un être humain ?

Définir l'être humain

La réponse fournie par le biologiste est claire : cet être fait partie d'une espèce, *Homo sapiens sapiens*, qui s'est différenciée de l'ensemble de l'ordre des primates il y a quelque cinq millions d'années. Ces primates s'étaient eux-mêmes singularisés à l'intérieur de la classe des mammifères il y a soixante millions d'années. L'on peut ainsi remonter dans le passé et reconstituer l'histoire de l'évolution des diverses formes de vie jusqu'à l'époque lointaine où sont apparues dans les océans, il y a plus de trois milliards d'années, les premières molécules d'ADN. La continuité est totale depuis ces molécules, qui ont permis la multiplication des êtres dits vivants, jusqu'à nous et jusqu'aux millions d'espèces, animales ou végétales, qui peuplent, à nos côtés, la planète.

Une discipline scientifique plus récente, l'astrophysique, a pris le relais de la biologie pour repousser plus loin encore dans le passé l'origine de cette évolution. Elle nous montre que les événements survenus sur la Terre sont la manifestation d'un processus qui se déroule partout dans l'univers depuis son origine, le mythique big-bang. Les forces à l'œuvre depuis cette origine sont telles qu'elles provoquent un accroissement permanent de la complexité.

Le changement dans la compréhension de notre place dans le cosmos est radical. Nous n'appartenons pas, comme le suggérait la Bible, à un univers stable, définitivement figé dans la forme qu'il a reçue lors de sa création ; nous n'appartenons pas, comme le proposait la physique du XIXe siècle, à un univers soumis à une désastreuse et inéluctable victoire du désordre ; nous sommes en réalité des éléments d'un univers qui, depuis l'instant initial, fait apparaître des structures toujours plus riches, plus complexes, et dotées parfois, en raison de cette complexité, de pouvoirs nouveaux. Nous sommes intégrés dans un univers autocréateur et nous pouvons localement être des participants actifs de cette autocréation.

L'évolution qui a conduit à l'*Homo sapiens* sur notre petite planète, infime partie du cosmos, est l'exemple extrême de ce processus. Les particularités que la loterie de l'évolution a apportées à cette espèce lui permettent de manifester des performances que l'on ne retrouve chez aucune autre, les plus étranges étant celles qui résultent de la richesse du système nerveux central. L'activité cérébrale d'un *Homo sapiens* est sans commune mesure avec ce que manifestent les espèces voisines ; elle lui permet de développer une intelligence l'incitant à se poser des questions, à imaginer des réponses, à réaliser des instruments qui lui donnent un regard nouveau sur la réalité, qu'il s'agisse des étoiles les plus lointaines ou des particules les plus évanescentes. Grâce à leur intelligence, à leur ingéniosité, les humains peuvent contempler un cosmos infiniment plus riche que celui perçu par les animaux. La nature les a pourtant dotés d'organes des sens bien peu performants ; ils compensent par leur imagination. Ils sont même capables de déceler l'existence d'objets, tels que les trous noirs, qui défient toute perception directe.

Mais, surtout, ils ont été capables de créer un être qu'il n'est pas excessif de désigner comme un « surhomme ». Cet être, aux performances d'une autre dimension et surtout d'une autre nature que celles des hommes isolés, n'est pas un individu doté de muscles plus puissants ou d'un cerveau plus riche, il est un être collectif : la communauté humaine. Cette mise en commun est rendue possible par la subtilité des rapports entre individus, notamment par le langage sous toutes ses formes.

Il est nécessaire ici de quitter le point de vue du biologiste pour s'interroger sur des caractéristiques humaines qui ne peuvent être expliquées par les seuls apports de la nature.

Ces apports sont, pour chaque être humain, l'ensemble des informations contenues dans la dotation génétique initiale ; celle-ci contient les recettes de fabrication des substances qui constitueront les organes ainsi que les instructions de mise en place des structures qui assureront leur fonctionnement. Décrypter ces informations est donc utile, mais cette recherche néglige l'essentiel, car un être humain, par son aventure, va bien au-delà de l'aboutissement permis par cette dotation.

Osons une métaphore. Pour définir tel silex, le spécialiste le soumet à de multiples tests physiques ou chimiques, il en mesure mille caractéristiques, mais il ne peut découvrir celle de ses propriétés qui est la plus remarquable : la capacité de ce silex de produire une étincelle lorsqu'il est heurté par un autre silex. Cette performance, en effet, n'est pas celle d'un objet isolé ; elle a pour source la rencontre de deux objets.

De la même façon, la performance la plus décisive d'un être humain, celle qui fait de lui un produit du cosmos à nul autre pareil, ne peut pas être constatée si on l'isole. Cette performance inouïe est la capacité non seulement à être, ce qui est à la portée de tout objet, mais à se savoir être, ce qui est réservé à nos semblables. Elle ne peut se manifester que dans le rapport à l'autre ; c'est le choc de la rencontre qui fait apparaître en chacun la conscience de sa propre existence.

Nous ne pouvons dire « je », c'est-à-dire parler de soi comme si l'on était un autre, que grâce aux « tu » qui nous sont adressés. L'éclair de la conscience ne peut jaillir que de la fécondation de notre pensée par celle de l'autre. Un humain ne peut donc être défini que par les caractéristiques de son insertion dans la communauté humaine. Ce qu'il est n'est pas seulement l'objet visible qui se manifeste, mais l'ensemble des liens qui le relient aux autres. Chacun est le produit d'une métamorphose : l'individu biologique fait par la nature devient la personne construite par les rencontres.

Oui, il s'agit vraiment d'une métamorphose, plus décisive et plus mystérieuse que celle de la chenille devenant papillon. Elle nous oblige à distinguer en chacun de nous deux humains : d'une part l'individu apporté par les mécanismes naturels de la procréation, d'autre part la personne construite par la rencontre des autres.

Un tel regard sur nous-mêmes est évidemment décisif pour les architectes, dont le rôle est de créer les lieux où les humains vivront et surtout où ils feront des rencontres ; il l'est plus encore pour ceux qui provoquent et organisent ces rencontres, que ce soit dans le système éducatif, dans le système judiciaire ou dans la vie de la cité.

Notre réflexion à propos des Jeux olympiques doit donc se développer à partir de ce constat. Tout projet important doit avoir pour fondation une définition de l'être humain qui tienne compte de sa double source, la nature et l'aventure : d'une part l'organisme, tel qu'il a été mis en place à partir du patrimoine biologique reçu, d'autre part la conscience d'être, édifiée grâce aux autres.

La fonction première de toute collectivité humaine est de susciter cette aventure, d'en faciliter le déroulement. Elle doit donc aider chacun à rencontrer l'autre avec l'attitude de celui qui va vers une source, non de celui qui se prépare à un affrontement.

Olympisme et darwinisme

Cette description de la finalité des sociétés humaines est évidemment très différente de celle qui est spontanément acceptée par notre société occidentale, où il n'est question que de lutte et de compétition. Le modèle décrit par Georges Perec dans son livre *W ou le souvenir d'enfance* n'est pas officiellement présenté comme idéal, mais il n'est que la caricature extrême d'une tendance bien réelle.

Le regard de notre société sur elle-même a été profondément marqué par la découverte de l'évolution des espèces et par le constat que nous, les humains, sommes l'aboutissement d'un long processus qui, partant des formes de vie les plus frustes, nous a finalement produits. Cette théorie, le transformisme, avait été proposée comme une hypothèse raisonnable dès le XVIIIe siècle par Montesquieu et Buffon, puis systématisée par Lamarck ; enfin, elle a été très largement acceptée à la suite des travaux de Darwin, qui a accumulé des observations en sa faveur.

Tous ces naturalistes ne pouvaient, à l'époque, fonder leurs réflexions que sur des caractéristiques apparentes. Depuis, les observations concernant le développement des embryons ou les processus physiologiques, ainsi que la description des fossiles étudiés par les paléontologistes, ont renforcé cette théorie. Elle a surtout reçu une confirmation éclatante grâce aux découvertes des généticiens. Ceux-ci ont constaté que le code génétique est unique, que le langage des chromosomes est le même pour tous les êtres vivants. Il est donc raisonnable d'admettre qu'ils ont tous une origine commune. Aujourd'hui, si l'on excepte quelques fondamentalistes américains enfermés dans une lecture rigide de la Bible, l'évolution du vivant est considérée comme un fait.

Mais l'objet de la science n'est pas seulement de décrire, il est d'expliquer et de proposer un modèle permettant de rendre compte de la réalité, d'imaginer un processus dont la chronique observée est le résultat.

Darwin en était conscient. Avec l'hypothèse fixiste qui prévalait avant lui, tout était simple, il suffisait de regarder et d'admirer l'œuvre définitive, immuable du Créateur. Lorsque tout change, lorsque tout se transforme au fil des générations, il faut identifier les causes des changements. À la façon dont la gravitation universelle avait été imaginée par Newton pour expliquer le mouvement des planètes, Charles Darwin a imaginé une cause de l'évolution des espèces ; ce processus, pour lui, c'est la sélection naturelle.

De même que les écrits de Galilée avaient bouleversé notre regard sur le firmament, le livre de Darwin, *L'Origine des espèces*, paru en 1859, a bouleversé le regard que nous portons sur le monde vivant, et donc sur nous-mêmes. Son argument tient en une phrase : en chaque lieu, les ressources sont limitées et le nombre des naissances est en général trop élevé compte tenu du niveau de ces ressources, donc « ceux qui possèdent un avantage quelconque sur les autres ont une meilleure chance de survivre et de procréer leur propre type ».

Autrement dit, la lutte entre les individus provoque nécessairement une amélioration. Le lent cheminement des espèces vers leur état actuel a été la conséquence de l'élimination de ceux qui, par malchance, n'avaient pas reçu un « avantage quelconque ». La leçon de la nature serait que la lutte, la compétition sont, tout compte fait, globalement bénéfiques et même nécessaires à la survie de la collectivité. Un tel constat résultant de l'observation de l'ensemble des êtres vivants peut alors être étendu à l'espèce qui nous intéresse le plus, la nôtre. Il est facile d'en envisager les conséquences.

Il est remarquable que le fait de l'évolution se soit heurté à beaucoup de réticences, mais que l'hypothèse selon laquelle cette évolution est le résultat de la sélection naturelle, de la lutte pour la vie, ait été rapidement admise. Le premier point se trouvait en effet en contradiction avec des idées acceptées depuis les débuts de notre culture, le second, au contraire, venait justifier un état de la société qui posait problème : comment accepter les excessives inégalités entre les nantis et les démunis ? Dans une culture officiellement fondée sur le respect des êtres humains, comment accepter de telles différences ? Voilà que la science apportait la réponse de la nature : ces inégalités sont le prix à payer pour l'amélioration collective.

Un siècle et demi après Darwin, ces idées sont encore largement acceptées. La lutte entre les individus serait nécessaire pour obtenir la progression de l'ensemble. La compétition serait imposée par la nature elle-même. Des activités comme les Jeux olympiques seraient donc en cohérence avec les lois qui régissent l'univers.

Cependant, raisonner ainsi, c'est négliger le fait que, depuis l'époque de Darwin, la théorie de l'évolution a été considérablement modifiée.

La phrase que j'ai reproduite contient en effet une erreur : l'affirmation que les individus qui ont pu ou su être les « meilleurs » transmettent leurs caractéristiques à leurs descendants. Cette affirmation, qui semblait aller de soi, a été mise à mal par les découvertes postérieures de Mendel puis par les avancées de la génétique. Ce qu'un géniteur transmet n'est nullement son « propre type » mais la moitié des gènes qu'il a lui-même reçus et qui lui ont permis de manifester ce type. Il transmet non ce qu'il est mais la moitié des informations – nous disons aujourd'hui les gènes – qui lui ont permis d'être ce qu'il est. Et cette moitié a été désignée au hasard.

C'est au cœur même de sa logique que le modèle darwinien est ainsi critiqué, ce qui a suscité le développement d'une discipline nouvelle, la génétique des populations. Cette discipline fait une place, dans la recherche des causes de l'évolution, au caractère aléatoire de la transmission des dotations génétiques. Certes, la sélection naturelle joue un rôle, mais ce rôle est beaucoup moins décisif qu'on ne le pensait au début du XXe siècle.

La place de la compétition dans la nature est ainsi mise en question. Le fait que telle caractéristique se soit répandue dans une espèce n'est pas nécessairement la preuve qu'elle était « meilleure », qu'elle a été sélectionnée en raison des avantages qu'elle apporte. Il a suffi qu'elle ne soit pas excessivement délétère et que l'aléatoire des transmissions l'ait favorisée. Dans le jeu permanent de la nécessité et du hasard, ce dernier a souvent marqué des points.

La religion de la compétition qui baigne toute notre culture, et dont les Jeux olympiques sont l'un des offices les plus solennels et les plus suivis, apparaît alors comme parfaitement arbitraire et non imposée par un quelconque ukase de la nature.

Cette introduction du hasard dans l'explication de la transmission biologique a provoqué une remise à jour de nombre de raisonnements concernant l'évolution. Le processus déterministe qu'imaginait Darwin a fait place à un processus aléatoire. Les modèles explicatifs ont dû être repensés de façon à laisser une place au hasard, c'est-à-dire à des changements sans cause définissable.

Ce qui s'est produit depuis plus de trois milliards d'années à la surface de notre planète aurait pu, compte tenu des contraintes du milieu, être tout à fait différent. Des bifurcations décisives aux conséquences considérables se sont produites sans qu'une quelconque nécessité intervienne. Le cas de notre propre espèce en est un bon exemple. Nos ancêtres d'il y a quelques millions d'années étaient des primates, c'est-à-dire des animaux adaptés à la vie dans les arbres. Des mutations leur ont rendu ce mode de comportement difficile ; tombés des branches, ils ont durant longtemps été des primates ratés ; des changements de climat leur ont offert un domaine où leur capacité à marcher debout est devenue un avantage. Mais cet entremêlement des modifications de leurs dotations génétiques et des conditions climatiques aurait pu ne pas être bénéfique. Les débuts de l'aventure humaine auraient pu mal tourner. La survie de l'espèce *Homo sapiens* peut difficilement être présentée comme la preuve d'une quelconque supériorité. Il se trouve simplement qu'elle a eu la chance de n'être pas éliminée.

De même la caractéristique dont nous sommes les plus fiers, la complexité fabuleuse de notre système nerveux central riche d'un million de milliards de connexions, a été un cadeau de la nature aussi inquiétant que bénéfique. Certes, il nous a permis de développer une intelligence à nulle autre pareille, mais il a imposé, en raison de l'étroitesse du bassin maternel, une naissance prématurée. Le bébé *Homo* est prêt à devenir *sapiens* tant son cerveau contient de neurones, mais il lui faut d'abord surmonter les dangers d'un environnement contre lequel il est bien mal armé tant il manque d'autonomie.

Génétique des populations

La prise en compte des processus aléatoires qui interviennent dans la transmission génétique a nécessité le développement d'une nouvelle discipline, la génétique des populations. Elle a permis un regard nouveau sur l'évolution des espèces en donnant une nouvelle définition de ce qui évolue.

Au niveau individuel, les écarts entre les parents et les enfants ne représentent pas une évolution, ils correspondent à des variations dues au mélange des dotations génétiques maternelle et paternelle. Il n'y a d'évolution que si l'on considère les générations successives d'une population.

La lente transformation des caractéristiques apparentes d'une espèce est la manifestation du changement de la collection de gènes possédée par l'ensemble des individus. Le véritable objet dont il s'agit de décrire et d'expliquer les transformations n'est donc pas un ensemble d'individus mais un ensemble de gènes. Cet ensemble s'enrichit de gènes nouveaux grâce aux mutations et se modifie en fonction de la plus ou moins grande capacité des gènes à être transmis. Parmi les facteurs qui interviennent, le hasard joue un rôle important puisqu'il est au cœur du processus central, la procréation. Ce rôle essentiel entraîne la nécessité de raisonner au moyen des outils qu'apporte le calcul des probabilités.

Le darwinisme initial a donc dû être repensé, tout au long du XXe siècle, en donnant un rôle moins décisif à la sélection. Ce concept risquait d'ailleurs d'aboutir à une tautologie en affirmant que le meilleur l'emporte dans la lutte pour la vie, et en définissant le meilleur comme celui qui a su l'emporter. Pour échapper à cette tautologie, les généticiens des populations ont développé des modèles où le rôle de la sélection est si limité qu'on peut les qualifier de neutralistes.

Ces modèles tiennent notamment compte du résultat aléatoire de l'enchevêtrement de processus déterministes. Un exemple peut en être donné par le comportement altruiste manifesté par certains animaux. Ce comportement qui conduit un individu à exposer sa vie pour défendre son groupe est évidemment contre-sélectif, car il diminue la probabilité de procréer ; dans la mesure où il est dû à un gène, la fréquence de celui-ci dans la population ne peut que diminuer et le gène finir par disparaître. Mais, dans les affrontements entre populations d'une même espèce, celles qui possèdent le plus grand nombre d'individus altruistes, prêts à se sacrifier pour la communauté, bénéficient d'un avantage. Elles sortent victorieuses plus souvent, ce qui accroît la fréquence moyenne de ce gène dans l'ensemble de l'espèce. Celui-ci est donc à la fois nuisible dans les compétitions entre individus à l'intérieur d'un groupe et bénéfique pour les groupes dans les compétitions à l'intérieur de l'espèce. L'évolution de sa fréquence peut donc être aussi bien une augmentation qu'une diminution. Des causalités ainsi enchevêtrées peuvent aboutir à un devenir aléatoire. Le terme même de gène favorable ou défavorable perd son sens.

Comment alors prétendre que la nature affiche la nécessité de la compétition ?

Olympisme et eugénisme

Les discours officiels exaltant les activités sportives manifestent souvent, de façon plus ou moins explicite, le désir d'améliorer les caractéristiques physiques de l'ensemble d'une population. Tel était le cas, il y a deux millénaires, à Sparte, où l'essentiel de l'éducation des jeunes, prise en charge par l'État, consistait en l'apprentissage de la lutte. Les exercices sportifs avaient pour but de préparer le corps à combattre, que ce soit quotidiennement, contre les camarades, ou, en cas de guerre, contre les ennemis de la cité. Les individus les moins robustes ou les moins combatifs étaient éliminés par ces combats avant d'atteindre l'âge procréateur. Cette méthode éducative aboutissait à une forme d'eugénisme, terme qui désigne un ensemble de mesures ayant pour but de modifier les caractéristiques naturelles d'une population. Seuls les individus jugés comme étant les « meilleurs » participent à la procréation de la génération suivante ; au fil des générations, une « amélioration » collective est espérée.

Dans les sociétés modernes, cette attitude eugéniste n'est généralement pas proclamée mais elle est perceptible dans la pensée de certains responsables. L'exemple extrême est celui de l'Allemagne nazie, qui avait placé au cœur de son idéologie l'amélioration biologique de la « race allemande ». Ainsi, dès décembre 1935, l'Office central de la race et du peuplement a créé les *Lebensborn*[1]. Ces établissements recevaient des jeunes femmes de « type nordique » prêtes à « donner des enfants au Führer » par les soins de jeunes SS. Dans l'esprit de Hitler, les Jeux olympiques de Berlin en 1936 devaient être l'occasion de démontrer la supériorité de la mythique race indo-européenne, d'où sa colère devant les succès du Noir Jesse Owens.

De tels fantasmes ne sont plus exprimés aujourd'hui, mais force est de constater que

1. Marc Hillel, *Au nom de la race*, Paris, Fayard, 1975.

certaines des attitudes les plus courantes constituent un pas dans cette direction.

La fascination opérée sur le public par certaines compétitions sportives est le signe d'un intérêt très profond pour les qualités physiques qui y sont manifestées. La satisfaction ressentie par un citoyen français lorsqu'il apprend que le vainqueur d'une épreuve est l'un de ses compatriotes a une double signification.

Elle résulte d'abord du sentiment d'appartenance à un même groupe humain, la collectivité nationale. La gloire de l'exploit accompli par l'un des membres de cette collectivité est perçue comme rejaillissant un peu sur tous.

Mais, surtout, cette satisfaction montre qu'aux yeux de ce citoyen les qualités manifestées dans cette épreuve font de cet athlète un être humain remarquable, auquel il faudrait, autant que possible, ressembler. Elle révèle donc un jugement de valeur implicite sur l'intérêt de la performance consistant à parcourir, par exemple, cent mètres en moins de dix secondes. Subrepticement, l'échelle de mesure permettant de caractériser une activité définie (courir aussi vite que possible sur une distance donnée) devient une échelle de valeurs ; elle implique une hiérarchie. Il est admis que, toutes caractéristiques égales par ailleurs, celui qui court le plus vite est le « meilleur ».

Dans cette voie, chaque collectivité, ayant constaté des différences à son détriment, sera tentée d'agir pour transformer cette hiérarchie et la remplacer par une plus glorieuse.

Comment améliorer la définition biologique d'une communauté ? À cette question, l'eugénique, discipline qui s'est prétendue scientifique et qui s'est parfois efforcée de le devenir, a tenté de répondre.

Les succès des éleveurs dans la recherche de races plus performantes montrent que cet espoir n'est pas vain. Le raisonnement est court : il a été possible d'améliorer la race chevaline, pourquoi ne pas tenter d'améliorer l'espèce humaine ?

La réalité nous contraint à constater que l'on n'oserait pas parler d'« amélioration de la race chevaline » si l'on adoptait le point de vue du cheval ! Ce qui a été amélioré par les éleveurs n'est pas la race ni l'espèce, mais telle ou telle caractéristique bien définie, qu'il s'agisse de la vitesse sur une courte distance pour les chevaux de course ou du rendement en lait pour les vaches laitières. La réussite des éleveurs dans tous ces domaines avait, depuis des siècles, été obtenue par des méthodes empiriques longuement mises au point, méthodes devenues plus efficaces depuis que la génétique des populations a apporté une base théorique aux pratiques des sélectionneurs. Pour certains végétaux comme le blé, les progrès ont été si spectaculaires que l'on a pu parler de « révolution verte ». Ces succès sont tels que l'on risque de verser dans un certain triomphalisme.

Ce serait excessif car les progrès obtenus pour une caractéristique sont souvent accompagnés d'une régression pour d'autres. De telles « réponses corrélées » peuvent rendre vains les résultats obtenus, notamment lorsque l'amélioration s'accompagne d'une diminution de la fécondité. Citons le cas d'une sélection réalisée sur des volailles durant douze générations pour obtenir des animaux aux cuisses plus longues[1]. Cet objectif a été effectivement atteint, mais simultanément la

1. Daniel Hartl, *Our Uncertain Heritage*, Philadelphie, Lippincott, 1977.

proportion des œufs capables d'éclore a été réduite de moitié. Les races artificielles obtenues par sélection ont certes quelques traits « améliorés », mais au prix d'une fragilité telle qu'elle met souvent en danger leur existence.

Sans chercher à modifier la réalité biologique de l'ensemble d'une population, il peut être tentant de pratiquer un eugénisme au coup par coup en favorisant la conception d'individus dont la dotation génétique serait favorable à la manifestation de telle ou telle performance.

La génétique nous permet de prévoir les dotations génétiques possibles pour les descendants lorsque l'on connaît celles des procréateurs. Mais cette possibilité de prévision n'est réalisable que pour les caractères dépendant soit d'un seul gène, comme dans le cas de certains systèmes sanguins ou de certaines maladies, soit d'un très petit nombre de gènes. Or les caractéristiques à l'origine des performances sportives sont sous la dépendance d'interactions entre un grand nombre de gènes. Il faut abandonner l'espoir de produire systématiquement des champions en suscitant des couples procréateurs où elle et lui auraient reçu des médailles d'or.

La tentation de l'eugénisme met en lumière le danger d'une véritable sacralisation de l'exploit sportif. Cette sacralisation n'est pas provoquée par les Jeux olympiques, mais ceux-ci y contribuent par l'accent mis sur des exploits physiques, sous-entendant que ceux-ci méritent d'être présentés comme des accomplissements personnels, des réussites humaines. Ces Jeux sont, je l'ai évoqué, l'office le plus suivi de la religion de la compétition. Ils sont la vitrine, combien attirante ! où sont présentés les plus beaux résultats. Mais, derrière la vitrine, il est nécessaire d'aller explorer l'ensemble du magasin et surtout de découvrir les moyens parfois utilisés pour produire les merveilles que sont les champions.

De l'exploit à la compétition

Très tôt, nous éprouvons les limites de ce que nous permet notre corps. Nous tendons la main vers un objet désiré mais notre bras est trop court, il nous faut renoncer. À mesure que nous devenons maîtres de nos gestes, nous faisons l'inventaire de ce que nous permet notre organisme. Mais, parce que nous sommes des humains, nous n'acceptons pas la frontière qui nous enferme dans le domaine du possible. Nous heurtant à cette barrière édifiée par la nature, nous nous efforçons de la franchir, d'explorer ce qui est au-delà. Gravir l'Everest, traverser l'Antarctique, c'est dire non à l'impossible. Y parvenir nourrit notre orgueil, l'orgueil légitime d'appartenir à cette infime partie du cosmos qu'est l'humanité, seule capable de ne pas subir passivement les contraintes que l'univers lui impose. Cet orgueil, chacun le partage lorsque, lisant *Terre des hommes*, il découvre une phrase célèbre du pilote Guillaumet. Après un atterrissage forcé dans la cordillère des Andes, ce dernier marcha cinq jours et quatre nuits dans la neige avant de trouver un village : « Ce que j'ai fait, dit-il à Saint-Exupéry, aucune bête ne l'aurait fait. » « La phrase la plus noble que je connaisse », ajoute Saint-Exupéry.

Contrairement à tout ce qui nous entoure, objets inanimés ou êtres vivants, nous ne nous contentons pas des possibilités fournies par le jeu aléatoire des forces qui agissent sur nous et dont nous sommes tantôt les bénéficiaires tantôt les victimes. Nous essayons de remodeler nous-mêmes l'espace où notre pouvoir peut se déployer. Chacun de nous, s'il reste isolé, ne pourra guère agrandir cet espace des possibles. Mais, s'il est immergé dans la communauté humaine, ce domaine s'enrichit de tout ce qu'apportent les rencontres, de ce que nous apprennent les autres, de tout ce que rend accessible l'action collective. L'histoire de notre espèce n'est pas seulement celle des exploits individuels peu à peu améliorés, elle est surtout celle des réussites permises par notre capacité à mettre en commun. Tout exploit de l'un d'entre nous doit donc être ressenti par chacun comme le signe d'une avancée dont tous nous pouvons nous sentir acteurs.

Cela est vrai des réussites obtenues dans tous les domaines, qu'elles soient techniques, intellectuelles, artistiques ou corporelles. Appartenir à la même communauté que celui qui a foulé le sol de la Lune, celui qui a découvert l'existence des trous noirs, celui qui a peint la chapelle Sixtine, ou encore celui qui a couru le 100 mètres en dix secondes, justifie un exaltant orgueil partagé.

Hélas, cet orgueil légitime est souvent dégradé en misérable vanité. Au lieu d'être émerveillé devant la réussite d'un membre de l'espèce, que ce soit un autre ou soi-même, nous nous contentons d'être satisfait d'avoir une réussite personnelle supérieure à celle d'un autre. La recherche de cette satisfaction étriquée nous amène à la compétition, c'est-à-dire au désir de l'emporter sur l'autre, qui devient un concurrent, un adversaire.

Lorsque cet objectif de victoire personnelle est la finalité réelle des efforts consentis, l'aboutissement ne peut être qu'une lutte contre les autres, alors que la réussite essentielle des êtres humains est de savoir lutter contre soi avec l'aide des autres. Les Jeux olympiques sont devenus une illustration de ce dévoiement, de cette perversion.

Officiellement, il s'agit de rencontres loyales où chacun manifeste au mieux ses talents. Le mot d'ordre est partout répété : « L'important, c'est de participer, non de gagner. » Mais il est difficile de ne pas déceler dans cette formule un bonne dose d'hypocrisie, tant l'accent est mis à toute occasion sur la nécessité de gagner. Cela est vrai bien sûr pour les athlètes sur la piste, mais ce l'est aussi pour les villes qui concourent en vue d'obtenir la mission d'organiser les prochains Jeux ou pour les nations qui consacrent des crédits à préparer une délégation. À chaque échelon, tous n'ont qu'un but, la victoire. Contrairement aux déclarations grandioses, qui ont sans doute été autrefois sincères, l'important, dans la réalité vécue aujourd'hui par ceux qui participent, est de gagner, et tout est mis au service de cette ambition.

Or les Jeux ne sont pas un événement anodin. Ils polarisent longuement l'enthousiasme et proclament leur ambition de définir un idéal de vie. L'accent que, contrairement aux slogans, ils mettent sur la victoire a des répercussions sur l'attitude de millions d'enfants et d'adolescents. Autrefois, ils allaient chercher des modèles dans les vies des héros ou des saints. Aujourd'hui, ils les trouvent chez ceux qui réussissent, le critère étant la notoriété ou la fortune. Les Jeux sont devenus, notamment grâce à la télévision, les grands pourvoyeurs de modèles. Leur responsabilité dans l'orientation de nos sociétés est si lourde qu'une réflexion sur leur nécessaire transformation s'impose. Elle ne devra pas être menée par les seuls gestionnaires des Jeux mais par tous ceux qui ont en charge une fraction du devenir de notre société, qu'ils soient enseignants, sociologues, philosophes ou acteurs politiques. C'est donc l'exercice du pouvoir au cœur de l'olympisme qui devra être mis en cause.

Cependant, en premier lieu, il faut constater les dangers impliqués par cette évidence : dans les processus impulsés par les Jeux, que ce soit dans les stades ou dans les instances de décision, « tout » est au service de la victoire, car elle seule reste dans les mémoires. Dans une société où les techniques viennent de faire un bond en avant grâce aux progrès de la connaissance, où la source de l'efficacité collective est l'argent, ce « tout » peut apparaître comme effrayant.

Les moyens de la victoire

Gagner résulte des qualités personnelles mais également des techniques peu à peu mises au point. La victoire peut aller à celui qui naturellement est capable de courir plus vite, de sauter plus haut, d'être plus fort, mais aussi à celui qui aura su, mieux que d'autres, accroître ces qualités. Or dans ce domaine vient de se produire une transformation qui bouleverse, ou devrait bouleverser, la nature même des Jeux.

Depuis toujours, le corps humain était semblable à une boîte noire dont on pouvait constater les exploits mais dont on ignorait, pour l'essentiel, les processus qui les avaient provoqués. Les prouesses réalisées par quelques champions étaient à la fois le signe de dons attribués par la nature et le résultat des améliorations obtenues grâce à un entraînement efficace. Les moyens de faire mieux restaient empiriques, ils étaient plus proches de la magie ou des remèdes de bonne femme que d'une compétence fondée sur des causes réelles. Milon de Crotone, par exemple, qui, au VIe siècle avant Jésus-Christ, collectionnait les victoires aux Jeux, entretenait, paraît-il, sa force fabuleuse grâce à des breuvages secrets à base de plantes.

Tout vient de changer avec les récents progrès de la science, c'est-à-dire de la compréhension de la réalité.

En moins d'un siècle, les résultats de la recherche ont bouleversé de fond en comble le regard que nous portons aussi bien sur nous-mêmes que sur le cosmos. Nous avons désormais une image nouvelle des galaxies et des particules, et surtout une image plus lucide de notre propre organisme. Dans tous les domaines, ce bond en avant de la compréhension du réel nous ouvre des possibilités d'action inédites ; mais elles sont si étranges, si inattendues, qu'à bon droit elles nous font peur et nous contraignent à redéfinir nombre de nos objectifs.

Ce bouleversement est évident dans un domaine certes bien éloigné du sport mais où l'enchaînement des événements a été semblable : celui de la physique nucléaire. Nous savons tous qu'une simple formule mathématique proposée par Albert Einstein, $E = mc^2$, comme l'apprennent les étudiants, a permis d'imaginer puis de réaliser la bombe atomique. Le noyau de l'atome était auparavant une boîte noire ; cette boîte a été ouverte, ce qui a apporté des possibilités inouïes, notamment lorsqu'il s'agit de détruire. Tout semblait alors possible et, dans une première phase, l'enthousiasme a été sans limites.

Mais après l'euphorie de la connaissance et de l'efficacité vient l'angoisse de la décision. Nous constatons que les progrès techniques sont souvent lourds de dangers et débouchent sur des questions sans réponse. Contrairement à la philosophie optimiste de Francis Bacon admettant, au XVIIe siècle, que le but de la science est de réaliser tout ce qui est possible, nous devons nous interdire certains actes résultant pourtant d'exploits de l'intelligence. « Il y a des choses qu'il vaudrait mieux ne pas faire », s'est écrié Einstein au soir d'Hiroshima.

Les militaires et les hommes d'État semblent avoir peu à peu compris que la façon même de résoudre les problèmes de rivalité entre les nations devait être repensée. L'existence de la bombe atomique les a contraints, sous peine de catastrophe collective, à donner aux affrontements de nouvelles modalités. Il ne suffit pas désormais d'être plus fort que l'adversaire, il faut aussi prendre garde à l'éventualité d'un suicide général. Des contraintes nouvelles sont prises en compte. La compétition acharnée d'autrefois fait lentement place à une collaboration imposée par le danger collectif.

De façon semblable à ce qui s'est passé dans le domaine militaire, les progrès de la biologie ont rendu réalisables des exploits fabuleux dont il est évident qu'« il vaudrait mieux ne pas les faire ». Dans le cas du sport, cela s'appelle le dopage.

Étrangement, les réflexions à ce propos ont initialement situé le problème dans la logique des jeux d'enfants, en se contentant d'introduire le concept de tricherie.

Mais cette évocation risque de masquer l'essentiel du problème.

Osons une métaphore et imaginons un groupe d'enfants jouant à colin-maillard. Celui qui porte un bandeau ne peut voir ses camarades, il les attrape au hasard et essaie de découvrir qui est entre ses mains. Le jeu n'a d'intérêt que si le bandeau est rigoureusement hermétique. La moindre tricherie permettant de voir à travers ou aux lisières du bandeau annule tout le plaisir du jeu. Si, par l'effet d'un sortilège quelconque, ce bandeau devenait soudain transparent, il faudrait arrêter la partie et inventer un autre jeu. Eh bien, cette aventure, cette intervention d'un sortilège se produit sous nos yeux dans l'ensemble des activités sportives, et notamment dans le déroulement des Jeux olympiques.

Comme dans le cas de l'atome, la boîte noire de l'organisme est désormais ouverte. Ce qui était caché est ou va être prochainement connu. Malgré ce changement radical, les règles du jeu sont conservées, immuables, comme si rien ne s'était produit. Si, à colin-maillard, le porteur du bandeau n'annonçait pas que celui-ci est devenu transparent, il serait accusé de tricher ; il en est de même de l'athlète utilisant des produits qui lui donnent artificiellement des capacités meilleures. Il gagne la compétition sans l'avoir réellement mérité par ses qualités propres et peut à bon droit être qualifié de tricheur.

Cependant, la frontière entre la tricherie et la loyauté, entre ce qui est artificiel et ce qui est naturel, entre ce qui fausse le résultat et ce qui est acceptable, peut difficilement être précisée.

Ainsi la légende des Jeux rapporte que le premier marathon, celui des Jeux de 1896, a été gagné par le grec Spiridon Louys grâce à un verre de vin bu au trentième kilomètre ; il ne fut pas pour autant disqualifié [1].

Un exemple plus dramatique de la difficulté de tracer une frontière est fourni par le cas des championnes venues d'URSS aux Jeux de Melbourne en 1956. Sur vingt-six lauréates, dix étaient enceintes. Ce n'était pas un hasard statistique mais le résultat d'une stratégie. Les responsables soviétiques d'alors estimaient en effet que la grossesse induit une augmentation du volume du cœur et de la

1. Jean-Pierre de Mondenard, *Dopage aux Jeux olympiques*, Paris, Amphora, 1996.

quantité d'hémoglobine, ce qui favorise les exploits sportifs[1]. Il est difficile de prétendre que ces effets de la grossesse ne sont pas naturels ; il ne s'agit donc pas, en toute rigueur, d'un dopage. Et pourtant ce comportement, avec ce qu'il implique de cynisme, de chosification des athlètes, nous révolte.

Ce n'est que dans une seconde phase que la notion de danger pour la santé des athlètes a été invoquée. L'usage de certains produits pouvait entraîner des risques immédiats s'ils étaient mal dosés, ou mettre en péril leur santé à venir. Des accidents, dont certains sont devenus célèbres, comme la mort d'un coureur cycliste sur le mont Ventoux, ont bouleversé le public. Mais là encore les limites sont difficilement définies. D'autant plus que le même produit, inoffensif ou même bénéfique à petite dose, peut devenir maléfique à dose plus élevée ou s'il est utilisé durant une trop longue période.

Finalement, la seule définition objective du dopage est fondée non plus sur la notion de tricherie, non plus sur celle de danger pour la santé, mais sur la transgression d'un

1. *Ibid*

interdit. Le dopage est défini comme l'usage de produits défendus. C'est cette transgression qui est punie, ce qui incite à se satisfaire du « pas vu, pas pris ». Quant à la liste des interdictions, elle évolue en permanence ; elle apparaît donc de plus en plus comme incomplète et surtout comme arbitraire.

Des produits ou des procédés nouveaux sont constamment imaginés. Une course s'est ainsi mise en place entre, d'une part, les instances dont dépend le sport, qui répriment le dopage à coups d'interdictions, et, d'autre part, les athlètes, leurs entraîneurs et leurs conseillers médicaux, qui se donnent des moyens inédits à coups d'innovations. Les premières auront toujours une étape de retard sur les seconds et tenteront d'anticiper au risque d'accroître encore le caractère arbitraire de leurs décisions. Le philosophe Yves Vargas les compare à des ingénieurs qui ins talleraient un feu tricolore au milieu du désert pour le seul plaisir de punir les caravanes passant au rouge[1].

Les manipulations biologiques sont deve

1. Yves Vargas, *Sport et philosophie*, Paris, Le Temps des cerises, 1997.

nues si efficaces qu'elles permettent d'espérer des performances inouïes, éloignant les limites de ce que les humains peuvent accomplir. Le mythe de la potion magique ressemblera de plus en plus à la réalité, mais l'athlète ne sera plus qu'un organisme dont, avant une compétition, les médecins doseront avec finesse les multiples paramètres biologiques. Il sera semblable à une Ferrari dont les ingénieurs règlent avec précision les caractéristiques mécaniques la veille d'un grand prix. Que sera devenu le sport dans cette confrontation entre techniciens ?

Mais, surtout, que sera devenu le sportif, ainsi réduit au rôle d'élément quasi passif au cœur d'un système qui le dépasse et qui le conditionne ? S'il obtient un succès, à qui le devra-t-il ? Tel un gladiateur, ne devra-t-il pas payer ce bonheur immédiat d'un suicide différé ?

La possibilité d'une manipulation de l'organisme transformant les athlètes en machines à gagner risque d'aboutir à une désacralisation de l'humain. Il est urgent de tenir compte de ces bouleversements et de définir un nouvel objectif.

Il se trouve que les Jeux olympiques donnent le *la* du concert sportif sur l'ensemble de la planète : ils apportent des émotions simultanément partagées par plusieurs milliards de spectateurs, ils sont une des fêtes communes du village Terre. La responsabilité de leurs dirigeants est donc décisive dans l'évolution inéluctable de tous les sports. Il leur faut sans tarder proclamer la finalité de leur action en s'efforçant de maintenir la cohérence entre ce qui est annoncé dans les discours officiels et ce que vivent les participants.

Cette responsabilité est aussi, en amont, celle des pouvoirs publics qui exigent, en échange des crédits qu'ils accordent aux fédérations sportives, des « résultats » sous forme de médailles. N'est-ce pas l'aveu cynique que, pour eux, l'objectif n'est pas la participation mais la victoire ?

Si vraiment l'objectif est de participer, il ne peut pas être de gagner ; si vraiment l'objectif est de rencontrer amicalement d'autres êtres humains, il ne peut pas être de chercher à l'emporter sur eux ; si vraiment il s'agit de faire la fête, il ne peut pas s'agir de se doper. Pour éradiquer le dopage, la seule voie possible est d'en supprimer la cause, c'est-à-dire d'oublier la compétition.

Olympisme et argent

Le mouvement olympique est né en opposition à certaines tendances de la société du XIXe siècle finissant. L'objectif proclamé par Pierre de Coubertin n'était rien de moins que de contribuer à faire apparaître un homme nouveau, plus digne des possibilités que nous apporte la nature. S'insérant dans une société occidentale profondément enracinée dans ses certitudes, l'olympisme manifestait son désir de les modifier. Cependant, comme pour de nombreux projets fondés sur une idéologie, le danger était grand qu'il soit lui-même contaminé par les attitudes qu'il voulait combattre. Il est au moins un domaine où le combat entre la pureté désirée et la compromission acceptée a tourné à la déroute de l'olympisme, c'est celui où règne l'argent.

Ceux qui ont créé et entretenu au départ ce mouvement n'affichaient que mépris pour cet argent, position d'autant plus facile à soutenir que, personnellement, ils en avaient semble-t-il beaucoup. Leur objectif, en relançant le rythme des olympiades, n'était certes pas le profit. Ils ont agi initialement comme si les Jeux devaient être l'équivalent d'une trêve dans les soucis financiers, à la façon dont la pythie de Delphes avait voulu provoquer une trêve dans les conflits guerriers. Cette attitude explique leur insistance à exiger que les concurrents soient des amateurs, de façon que les préoccupations liées à leurs finances personnelles n'interviennent en aucune manière dans la pratique de leur sport.

Dès le début, des cas litigieux ont montré l'impossibilité de définir l'amateurisme avec précision. En une période de grande rigueur, le Comité international olympique (CIO) a, par exemple, retiré sa médaille d'or du pentathlon à Jim Thorpe en 1912, au motif qu'il avait gagné de l'argent en participant, en dehors des Jeux, à des matches de football américain. De même, dans les années 1930, a été éliminé un coureur aussi prestigieux que le Français Jules Ladoumègue.

L'hypocrisie est apparue au grand jour avec l'entrée de l'URSS et des pays de l'Est dans l'activité olympique. Les concurrents qu'ils envoyaient aux Jeux étaient considérés dans leur nation comme des « amateurs d'État » : les dépenses de leur vie quotidienne étaient intégralement prises en charge par la collectivité, afin de leur permettre de consacrer l'essentiel de leur activité à l'amélioration de leurs performances. Il a fallu se rendre à l'évidence : ces athlètes étaient pratiquement tous des professionnels.

Par ailleurs, l'indifférence aux contraintes financières affichée par les instances olympiques est apparue à la fin des années 1970 comme incompatible avec la poursuite des Jeux. Leur mort semblait programmée car ils coûtaient plus qu'ils ne rapportaient. Les Jeux de Montréal, en 1976, avaient été une catastrophe pour les contribuables de cette ville et même de l'ensemble du Québec. Le président du Comité international olympique de l'époque, lord Killanin, en prédisait la disparition après les deux olympiades suivantes. Son successeur, Juan Antonio Samaranch, nommé en 1980, a complètement retourné la situation, mais au prix d'une attitude tout autre à l'égard des contraintes financières.

Il a tout d'abord su tirer parti du développement fabuleux de la télévision. En 1976, les droits de retransmission n'avaient été que de 45 millions de dollars. En 2000, ils ont dépassé 1,1 milliard de dollars pour les Jeux d'été et 500 millions pour les Jeux d'hiver. Cette multiplication par trente en un quart de siècle reflète non seulement l'augmentation des tarifs que le CIO a su négocier, mais également celle du nombre d'heures consacrées à ces reportages. Une spirale présentée comme vertueuse a été amorcée : la télévision a provoqué un engouement croissant chez un public de plus en plus large, et cet engouement a provoqué un besoin croissant d'images. Même des sports pratiqués par un très petit nombre de passionnés, comme le saut à ski ou le bobsleigh, sont désormais présentés dans des programmes diffusés dans le monde entier.

Simultanément, la télévision a créé et largement diffusé une image particulièrement sympathique de la « famille olympique », expression qui désigne, selon la terminologie officielle, l'ensemble des acteurs gravitant autour des Jeux. Le logo des Jeux, cinq cercles colorés et entrelacés symbolisant les cinq continents, est, paraît-il, l'image la plus connue au monde, plus même que la double arche jaune des restaurants McDonald's. Les images associées à ce logo évoquent l'idéal olympique, si souvent proclamé, de pureté retrouvée, d'excellence, de générosité, de solidarité.

Dans la société humaine planétaire telle qu'elle est devenue, cette image, comme tout objet, comme tout symbole, a une valeur non pas seulement morale, esthétique ou politique mais également financière, au sens marchand du terme. Elle peut donc être achetée et vendue comme tout produit généré par les activités humaines. Le génie du président du CIO a été de parvenir, depuis près d'un quart de siècle, à vendre cette image très cher. C'est ce que l'on appelle le sponsoring, deuxième source des revenus de la « famille olympique ».

Cette valeur résulte d'un mécanisme économico-financier aujourd'hui bien accepté : afin de préserver leur notoriété, les entreprises multinationales de grande taille se préoccupent de la façon dont elles sont perçues par le public. Les théoriciens du marketing ont convaincu les gestionnaires de ces entreprises de la nécessité de soigner leur image, les psychologues leur ont démontré que cette image dépendait autant de facteurs irrationnels que d'arguments objectifs. Pour améliorer son image, la société Coca-Cola, par exemple, ne doit pas chercher à prouver que la boisson qu'elle propose est excellente pour les papilles et bonne pour la santé ; il est beaucoup plus utile pour elle d'associer son logo à un autre qui soit capable d'irradier la sympathie. Ce mécanisme est parfaitement cynique puisqu'il admet que l'illusion a plus d'importance que la réalité. Mais il faut bien reconnaître qu'il est efficace dans notre société avide d'apparence.

C'est ainsi que, pour un prix élevé, les cinq anneaux de l'olympisme se sont trouvés associés aux logos de multinationales. Celles-ci se sont introduites à titre de parrains, de sponsors dans la « famille olympique », en espérant que son honorabilité rejaillirait sur elles. Tout se passe comme si la présence d'une jeune fille pure au centre d'une photo de groupe pouvait améliorer la réputation de ses voisines à la vertu plus douteuse.

Un programme dénommé TOP (*The Olympic Programme*) est chargé de gérer cette activité qui a rapporté près de 100 millions de dollars dès ses débuts, en 1988. Son bénéfice a rapidement progressé et a dépassé 400 millions en 2000. Ces sommes énormes, qui peuvent être interprétées comme l'hommage du vice à la vertu, n'ont de justification que si cette vertu est non seulement réputée mais réelle. Ce qui fait la valeur du logo aux cinq anneaux, c'est l'auréole de rigueur, de pureté qui a accompagné l'olympisme.

Le dopage, en écorchant cette auréole, risque de la dévaloriser, ce qui explique l'acharnement des autorités à le combattre – cela est excellent –, mais aussi à le nier – cela est parfois hypocrite.

L'olympisme risque, en outre, d'entrer dans une spirale, vicieuse cette fois, où, plus encore que le dopage, le fait même de pactiser avec le monde de l'argent sera perçu comme dévalorisant.

Le mot « amateurisme » a été rayé de la charte olympique. Les impératifs financiers ont, surtout depuis deux décennies, totalement phagocyté les Jeux, et plus généralement la plupart des activités sportives. Aux Jeux désormais l'on se soucie plus des redevances de parrainage ou des droits payés par les médias que des records battus par les athlètes. Les millions de dollars d'un contrat de sponsoring ont plus de sens que les dixièmes de seconde d'un 100 mètres.

Mais que deviendra la valeur du logo aux cinq cercles lorsqu'il évoquera autant des exploits financiers que des exploits sportifs ? En vendant cher le droit de se référer à son logo, le CIO s'est comporté comme l'Église romaine du XVIe siècle, qui organisait le trafic des indulgences et rendait plus que suspecte, par cette attitude, sa prétention à gérer la vie éternelle. La jeune fille pure de notre photographie perd sa raison d'y figurer si elle a les mêmes objectifs que ses voisines.

Cette mésaventure, le retournement des finalités, est déjà arrivée à d'autres. Dans le cas du CIO, il faut reconnaître que l'objectif nouveau a été remarquablement atteint. Après un quart de siècle de la nouvelle attitude, les finances de l'olympisme sont florissantes.

Mais les problèmes liés à l'argent n'ont pas pour autant disparu. Ils ont seulement changé de nature. Le manque d'argent est souvent dramatique ; l'excessive abondance ne l'est pas moins par les appétits qu'elle suscite.

Ces appétits se sont notamment manifestés au cours des procédures qui aboutissent à choisir, pour les Jeux à venir, une ville parmi quelques candidates. Régulièrement, la presse fait état des plaintes de celles qui ont été évincées, persuadées que seules des tractations souterraines, inavouables, expliquent leur échec. Mais devant quelles instances peuvent-elles se plaindre ? Elles se trouvent face à la curieuse organisation du pouvoir dans la « famille ».

Olympisme et pouvoir

Au terme de ce regard rapide sur les ambitions, les succès et les problèmes actuels de l'olympisme, il apparaît clairement que des remises en cause radicales doivent être engagées dans les fondements mêmes de cette activité. Le contraire aurait été surprenant tant le contexte politique, humain, scientifique dans lequel elle se déploie a été bouleversé au cours du siècle écoulé depuis l'initiative fondatrice de Pierre de Coubertin.

Nous avons vu que deux risques majeurs se manifestent aujourd'hui : le dopage, qui ruine la signification de la compétition sportive, et l'influence de l'argent, qui ravale l'idéal olympique à un échange marchand. Ces dangers ne pourront être déjoués qu'au prix d'une transformation des objectifs affichés. Pour rester fidèles à leur finalité proclamée, les Jeux ne peuvent échapper à la nécessité de récuser l'esprit de compétition Ce nouvel objectif, qui doit être non seulement celui du sport mais aussi celui de toute collectivité humaine, peut être résumé en une formule simple : abandonner la lutte contre l'autre et la remplacer par la lutte contre soi grâce aux autres.

Les changements nécessaires, qui a le pouvoir de les décider et de les réaliser ? En cherchant une réponse à cette question, on ne peut qu'être surpris de la façon dont est gérée cette activité. Elle concerne une grande partie de l'humanité, tous les États de la planète désirent y jouer un rôle. Des dizaines de milliers d'hommes et de femmes participent directement aux épreuves, des centaines de milliers en sont les spectateurs, des milliards en sont les témoins indirects par l'entremise des télévisions. Malgré ce gigantisme, malgré cette emprise planétaire, les véritables décideurs ne sont qu'un groupe restreint de personnes qui se sont cooptées sans en référer à quiconque.

Pierre de Coubertin avait désigné les quatorze membres du premier Comité international olympique. Ceux-ci en ont désigné d'autres à mesure que de nouveaux pays ont voulu se joindre au mouvement. Aujourd'hui, le CIO comporte cent vingt-six membres. Ils sont le noyau de ce que l'on désigne comme la « famille olympique ». Remarquons au passage que cette cooptation généralisée correspond, plus qu'à la notion de « famille », à celle récemment introduite dans la législation française de « bande organisée ».

C'est ce Comité qui devra prendre les décisions courageuses, véritablement révolutionnaires, qui s'imposent et que rendra particulièrement difficiles l'absence totale de démocratie qui caractérise son fonctionnement.

La structure, fort éloignée de la démocratie, de l'entreprise olympique a certes eu des avantages en permettant une grande stabilité. Cette stabilité est manifestée par le fait qu'en cent dix ans les présidents qui se sont succédé ont été seulement au nombre de huit. Mais cette stabilité, facteur d'efficacité, peut devenir un handicap lorsque des problèmes inédits surgissent, d'autant que les membres du CIO ne proviennent en général pas des couches de la population les plus tentées par les révolutions : parmi les huit présidents successifs, on trouve un baron, deux comtes, un marquis et un lord.

Si l'on étudie l'olympisme en utilisant les critères valables pour les entreprises, au sens de ce mot dans la société occidentale d'aujourd'hui, il est incontestable que son succès, du moins au cours du dernier quart de siècle, a été plus que remarquable. Sa notoriété fait envie aux multinationales les plus universellement connues, ses résultats financiers font plus envie encore. Il suffit de parcourir le musée de l'Olympisme installé au bord du lac Léman, à Lausanne, pour être émerveillé par une telle *success story*, au moins aussi enthousiasmante que celle de l'entreprise voisine Nestlé à Vevey.

Cette réussite donne au Comité international olympique un pouvoir équivalent à celui des États, avec toutefois une différence importante : il ne résulte pas d'un processus qui le rendrait légitime. Ceux qui l'exercent au sein des instances olympiques l'ont obtenu en fonction de règles qu'ils ont définies eux-mêmes.

Le plus étonnant est que cette autolégitimation n'empêche pas son président de se mettre lui-même au rang d'un chef d'État, ce qui ne semble pas choquer ceux qui le sont réellement. Il est reçu avec tous les honneurs aussi bien par le président des États-Unis que par le pape.

Est-il raisonnable, devant tant de succès, d'admirer la réussite de l'entreprise olympique ? Nous avons consacré un chapitre au paradoxe des larmes des quatrièmes : ces athlètes viennent de réussir un exploit merveilleux, ils ont parfois pulvérisé leur record personnel, mais ils vivent ce résultat comme une défaite, car ils n'ont pas accès au podium. Leurs larmes dévoilent que leur objectif réel, celui pour lequel ils ont consenti tant d'efforts, n'était pas l'orgueil de l'exploit réalisé mais la vanité de la gloire obtenue.

De façon semblable, les autorités olympiques semblent avoir privilégié non pas la diffusion de l'attitude sportive mais la recherche de la notoriété, ce que manifeste le rôle grandissant du sponsoring, c'est-à-dire de l'acoquinement avec des puissances financières dont les finalités n'ont rien à voir avec le sport.

C'est aussi un reflet de cette notoriété que recherchent avidement les villes qui se portent candidates pour les Jeux à venir. Les motivations de leur acharnement à l'emporter sur les villes concurrentes peuvent difficilement être trouvées dans leur désir de diffuser la pratique du sport. Il s'agit pour elles d'être mieux connues, d'être perçues comme agréables ; elles en espèrent de multiples retombées. Finalement, le rôle principal du CIO est, en désignant une ville, de fournir un podium à une place et de choisir la ville qui y paradera.

Qui aura l'audace de lui proposer un rôle plus conforme aux besoins de la communauté humaine d'aujourd'hui ? Qui aura le pouvoir de l'imposer ?

Vers un nouvel olympisme

Impuissant face à la gangrène du dopage, enlisé dans sa compromission délibérée avec la logique de l'argent, isolé par une structure privée de démocratie, l'olympisme participe aujourd'hui à l'enfermement de notre société dans une culture de la lutte, la lutte de chacun contre tous. Par la réponse implicite qu'ils donnent à l'interrogation sur le sens de la vie en commun, les Jeux, en mettant l'accent sur la compétition, sont devenus dangereux.

Ce dont l'humanité d'aujourd'hui a le plus besoin, ce sont de véritables rencontres, celles qui permettent à chacun de s'ouvrir à l'autre, celles qui font apparaître dans un ensemble d'êtres humains une réalité plus riche que l'addition de ses éléments. Les merveilleuses réussites de la technique permettent d'échanger, dans l'instant même, si éloignés que nous soyons, des mots et des images. Mais ces échanges ne sont que des fantômes de rencontre, il leur manque la vibration d'une présence, la chaleur d'un regard.

Il est vrai que le sport dans toutes ses manifestations, y compris la compétition, peut fournir des occasions de rencontres. Citons deux exemples qui peuvent amener d'utiles prolongements.

Le premier concerne le Rwanda et le football. Personne n'a oublié les horreurs qui ont été commises il y a dix ans dans ce pays. En l'espace de cent jours, une des ethnies, les Tutsi, a été massacrée par l'ethnie opposée, les Hutu. Les victimes, qu'il a été impossible de dénombrer avec précision, ont représenté plus de dix pour cent de la population totale qui compte huit millions d'habitants. Une intervention extérieure a été nécessaire pour mettre fin au génocide. Il est facile d'imaginer le mur de haine qui pourrait durablement séparer ces deux groupes dont chacun peut, pour justifier ses propres abominations, décrire celles perpétrées par l'autre. La spirale infernale des vengeances et des représailles pouvait entraîner tout ce peuple dans un processus de destruction réciproque.

Parmi ceux qui ont été conscients de la nécessité de bifurquer dans une autre direction, en s'efforçant avant tout d'éliminer la violence ont figuré les responsables de l'équipe nationale de football. Ils ont osé reconstituer, après le drame, un groupe de joueurs comportant des représentants des deux ethnies. Ils ont renforcé ce groupe par des joueurs venant des pays voisins, le Burundi, le Congo et le Cameroun. Ils ont finalement si bien réussi que cette équipe est désormais capable de susciter la fierté de l'ensemble de la population. Ce ne sont pas seulement les joueurs qui oublient leur appartenance ethnique, ce sont aussi les spectateurs, les supporters. Un enthousiasme collectif face aux succès de cette équipe s'est développé et le sommet a été atteint en juillet 2003, lorsqu'elle a battu celle du Ghana jusque-là réputée invincible.

La leçon de cette aventure est merveilleusement résumée par un journaliste rwandais : « Regardez, écrit-il en évoquant les massacres, ça s'est passé chez nous, et malgré tout nous sommes encore des humains qui voulons vivre et sourire ensemble. » Vivre et sourire ensemble, cela pourrait être la devise des Jeux olympiques.

Notre second exemple montre que, sans être officielle, cette devise est parfois spontanément respectée durant les Jeux. Cela s'est produit, paraît-il, lors du 5 000 mètres couru aux Jeux d'Helsinki, en 1952. Après 4 900 mètres de course, quatre concurrents étaient sur une même ligne : le Tchèque Zatopeck, le Français Mimoun, l'Anglais Chattaway et l'Allemand Schade. Jusqu'à la ligne d'arrivée, seuls quelques centimètres les ont départagés. Finalement, Zatopeck a reçu la médaille d'or, mais il est clair qu'ils étaient tous les quatre véritablement des vainqueurs. Chacun pouvait remercier les autres de l'avoir aidé à battre son propre record. Pour saluer leur victoire collective, la raison aurait voulu qu'ils soient hissés sur un podium de quatre places sur un seul niveau.

Dans de tels cas, la compétition se mue spontanément en émulation. Le sport redevient du jeu. Le couple victoire-défaite s'estompe et fait place à la participation à une joie commune.

Dans l'olympisme du futur, les compétitions ne seraient pas nécessairement exclues, elles pourraient faire partie du spectacle, mais elles joueraient le rôle d'un simulacre. La lutte apparente des concurrents ou des équipes camouflerait la recherche des plaisirs procurés à tous par le jeu. On retrouverait ainsi l'attitude des enfants qui sont conscients de l'aspect artificiel des affrontements qu'ils organisent : ils savent qu'il s'agit d'un leurre, ils le manifestent en utilisant le mode conditionnel dans l'attribution des rôles : « Toi, tu serais le voleur, moi, je serais le gendarme. » « Tu serais la princesse, je serais l'ogre. » Au-delà des mots, chacun comprend que, en apportant le plaisir d'être ensemble, le jeu a du sens, mais que la victoire n'en a pas.

Le rôle de l'olympisme pourrait être de retrouver à toute occasion cet état d'innocence.

Pour cela, il faut qu'il s'éloigne des classements et des palmarès et accentue le caractère de fête des Jeux.

Car il s'agit d'abord d'une fête. Une fête où les exploits sportifs auront sans doute leur place, mais où ils en laisseront une plus large encore à toutes les autres sources de dépassement.

La pythie, interrogée aujourd'hui, préconiserait sans doute une trêve de la méfiance et du mépris. Tous les quatre ans, les fêtes dites olympiques pourraient utilement rappeler la nécessaire lutte contre ces deux fléaux.

Comme le montrent l'arrivée du 5 000 mètres d'Helsinki ou les succès de l'équipe du Rwanda associant Tutsi et Hutu, le sport peut y contribuer. Mais ces exemples du passé et du présent doivent surtout nous inciter à faire, à la façon de Martin Luther King, un rêve pour l'avenir.

C'est là où se dévoilent avec le plus de violence la méfiance et le mépris, là où la haine ose s'afficher, qu'il faut en priorité organiser la fête des Jeux. Rêvons du jour où elle sera accueillie par la ville de Jérusalem dont les équipes associeront citoyens palestiniens et citoyens israéliens. Rêve fou ? Pourtant, un jour viendra, dans dix ans, dans mille ans, où, en ce lieu aussi, méfiance et mépris auront disparu.

Ce sont toutes les activités humaines. même celles qui sont très éloignées du sport, qui devront contribuer à ces fêtes. Il ne s'agira pas de courir plus vite ou de sauter plus haut mais de contribuer à une mise en commun des émotions et des espoirs qui nous permettra enfin de vivre et de sourire ensemble.

Références bibliographiques

François Ciri, *Dopés, victimes ou coupables ?*, Paris, Le Pommier, 2002.

Pierre de Coubertin, *Mémoires olympiques*, Lausanne, CIO, 1931.

Dictionnaire des risques, dirigé par Yves Dupont, Paris, Armand Colin, 2003.

Bernard Guillet, *Histoire du sport*, Paris, PUF, 1948.

Daniel Hartl, *Our Uncertain Heritage*, Philadelphie, Lippincott, 1977.

Marc Hillel, *Au nom de la race*, Paris, Fayard, 1975.

Message olympique. Sources de financement du sport, Lausanne, CIO, 1996.

Jean-Pierre de Mondenard, *Dopage aux Jeux olympiques*, Paris, Amphora, 1996.

Georges Perec, *W ou le souvenir d'enfance*, Paris, Gallimard, 1975.

Robert Redeker, *Le Sport contre les peuples*, Paris, Berg International, 2002.

Jean Sutter, *L'Eugénique*, Paris, INED, 1950.

Yves Vargas, *Sport et philosophie*, Paris, Le Temps des cerises, 1997.

Georges Vigarello, *Du jeu ancien au show sportif*, Paris, Le Seuil, 2002.

Paul Yonnet, *Systèmes des sports*, Paris, Gallimard, 1998.

Table

Ce volume a été composé par
I.G.S. - C.P. à L'Isle-d'Espagnac (16)
et achevé d'imprimer en mai 2004
sur presse Cameron par
Bussière Camedan Imprimeries
à Saint-Amand-Montrond (Cher)
pour le compte des Éditions Stock
31, rue de Fleurus, 75006 Paris

Imprimé en France
Dépôt légal : juin 2004
N° d'édition : 46914 – N° d'impression : 042247/1
ISBN : 2-234-05692-6
54-07-5692/6